SISSI
SOUKI
WERTHER
COCO LE HARICOT
AGATHE LA TOMATE
MADAME
LAPOU
S'IL VOUS
PLAÎT!
ROUDOUDOUNE
JOSETTE
NAPOLÉON ET CLAFOUTIS
CHOUCHOU
JOJO
TOTO LE POIREAU

Gallimard Jeunesse/Giboulées
sous la direction de Colline Faure-Poirée

ISBN : 978-2-07-063730-0
Numéro d'édition : 179936
Dépôt légal : septembre 2011
Loi n° 49-956 du 16 juillet 1949
sur les publications destinées à la jeunesse
Imprimé en Italie par Gruppo Editoriale Zanardi.

Bénédicte GUETTIER

L'AUBERGINE SOMNAMBULE

UNE ENQUÊTE DE L'INSPECTEUR LAPOU

GALLIMARD JEUNESSE GIBOULÉES

LA NUIT EST CALME DANS LE POTAGER...

QUAND SOUDAIN...

QU'EST-CE QUE C'EST QUE CE RAMDAM EN PLEINE NUIT ?
À L'AIDE, INSPECTEUR LAPOU !
UN MONSTRE ABOMINABLE CHERCHE À NOUS DÉTRUIRE !
JE NE SERAI PLUS JAMAIS LA MÊME !

CALMEZ-VOUS, CE N'EST QU'AUBE L'AUBERGINE. ON DIRAIT QU'ELLE EST SOMNAMBULE.
ÇA ALORS !
QUAND JE PENSE QU'ON OSE PARLER D'ÉTAT VÉGÉTATIF !

TOUT LE POTAGER EST RÉVEILLÉ.
ALLEZ, AUBE! C'EST L'HEURE D'ALLER AU LIT POUR LES GENTILLES AUBERGINES.

ÇA ALORS ! ELLE NE S'EST MÊME PAS RÉVEILLÉE !
NOTRE NUIT EST COMPLÈTEMENT GÂCHÉE ET ELLE, ELLE DORT COMME UN BÉBÉ !
ET EN PLUS ELLE RONFLE !
MA MISSION EST TERMINÉE JE RETOURNE ME COUCHER !

LE LENDEMAIN...

... À PART CETTE AUBERGINE QUI EST EN PLEINE FORME.

ET DEPUIS, TOUTES LES NUITS C'EST LA MÊME CHOSE.

SPLITCH !
ZZZ
ZZZ
...
AÏE !
JE VAIS
LA TUER !
PASSEZ-MOI UN HACHOIR !
ZZZZ
RON RON !

ET LE LENDEMAIN...

HUM ! IL NE FAUT PAS QUE JE LAISSE POURRIR LA SITUATION NI LES LÉGUMES SINON JE VAIS MOURIR DE FAIM...

DÉSOLÉ, AUBE, MAIS ÇA NE PEUT PAS CONTINUER AINSI. JE VAIS DEVOIR T'ARRÊTER !

CE N'EST PAS MA FAUTE, INSPECTEUR. JE N'Y PEUX RIEN ET JE NE ME SOUVIENS MÊME PAS DE CE QUE JE FAIS LA NUIT...

…MAIS, J'ADORE QUAND MES COPAINS ME LE RACONTENT LE LENDEMAIN !

...ET APRÈS TU M'AS MARCHÉ SUR LE PIED.

JE NE SUIS PAS COUPABLE, INSPECTEUR !

CHERS AMIS, LÉGALEMENT JE NE PUIS RIEN FAIRE MAIS, SI ÇA CONTINUE, UN GRATIN D'AUBERGINE ME SEMBLE UNE EXCELLENTE SOLUTION. D'AUTANT PLUS QUE C'EST LE SEUL LÉGUME QUI PARAISSE COMESTIBLE AUJOURD'HUI.

EN TANT QU'AVOCAT, JE PROTESTE. LE CONFLIT D'INTÉRÊT ME PARAÎT ÉVIDENT!

LA NUIT SUIVANTE.

ZZZ
ZZZZ
ZZZZZ
ZZZ
RON
RON RON
ZZZ

AU SECOURS, INSPECTEUR LAPOU !
...JE ME SUIS RÉVEILLÉE ATTACHÉE COMME UN SAUCISSON !
ET, BIEN SÛR, LES AUTRES ONT L'AIR EN PLEINE FORME...

INSPECTEUR LAPOU, VOUS PENSEZ QUE J'AI PU FAIRE ÇA TOUTE SEULE ?

C'EST FOU CE DONT JE SUIS CAPABLE QUAND JE DORS ! ÇA POURRAIT ÊTRE DANGEREUX.

JE FERAIS BIEN DE M'ATTACHER TOUTES LES NUITS AVANT DE DORMIR. MAIS JE NE SUIS PAS SÛRE D'Y ARRIVER EN ÉTANT RÉVEILLÉE.

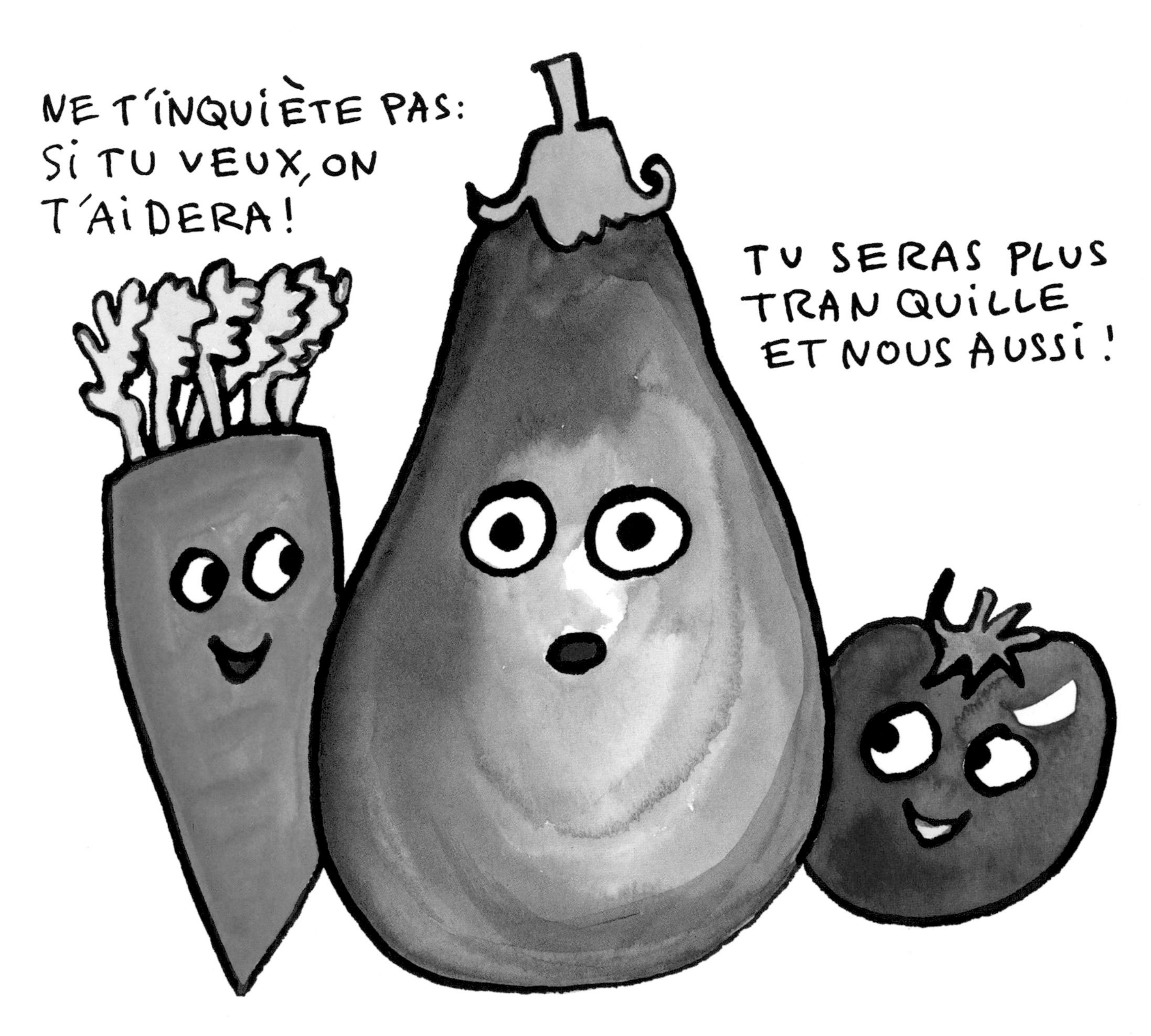

MERCI, MES AMIS !

CETTE HISTOIRE M'A DONNÉ FAIM MAIS LE GRATIN D'AUBERGINE NE SEMBLE PLUS D'ACTUALITÉ.

TANT PIS, JE RETOURNE ME COUCHER. APRÈS TOUT, ON DIT BIEN : QUI DORT DÎNE !

LA RECETTE DE L'INSPECTEUR LAPOU

L'AUBERGINE MOZZARELLA

LAVE UNE AUBERGINE. COUPE-LA EN RONDELLES D'UN CM D'ÉPAISSEUR. DISPOSE LES TRANCHES SUR UN PLAT ALLANT AU FOUR. DEMANDE À UN ADULTE DE LES FAIRE CUIRE 20 MINUTES TH 8 EN LES RETOURNANT À MI-CUISSON, PUIS DE LES SORTIR DU FOUR. AJOUTE SUR CHAQUE TRANCHE UNE RONDELLE DE TOMATE, UNE TRANCHE DE MOZZARELLA ET UN FILET D'HUILE D'OLIVE. DEMANDE À UN ADULTE DE LES REMETTRE AU FOUR 10 MINUTES PUIS DE SERVIR CHAUD. AJOUTE UN PEU DE BASILIQUE ET DE FLEUR DE SEL.

HUM ! C'EST PRÊT !

L'INSPECTEUR LAPOU

THOMAS LA TOMATE

LE DOCTEUR RATONTOU

MACHINE ET CHARLOTTE

JEAN PIERRE

PIPI LE PISSENLIT

CHACHA

RADIS DI

PAULETTE LA COURGETTE

TAGAGA

COIN-COIN